D1454822
WINNIPEG

Mon île

Textes
Joannie Beaudet

Illustrations
Jean-François Hains

Un vrai superhéros

ÉDITIONS
origo

Données de catalogage avant publication (Canada)

Les Éditions Origo
L'île de Cosmo
D'après une idée originale de Pat Rac

Un vrai superhéros
ISBN 13 : 978-2-923499-70-3

Collaboration éditoriale : Pat Rac et Neijib Bentaieb
Vérification des textes : Audrée Favreau-Pinet
Directeur littéraire : François Perras
Capital de risque : Technologies HumanID

Dépôt légal :
Bibliothèque nationale du Québec, 2016
Bibliothèque nationale du Canada, 2016

Boîte postale 4, Chambly (Québec) J3L 4B1, Canada
Tél. : 450 658-2732 • info@editionsorigo.com

Imprimé au Canada
Gouvernement du Québec – Programme de crédit d'impôt pour l'édition de livres – Gestion SODEC

Cosmo flâne près de la rivière en attendant son ami Cajou l'écureuil pour jouer. Soudain, le dodo découvre un bout de tissu scintillant.

–Incroyable! s'émerveille le dodo. C'est une cape de superhéros!

Sans attendre son ami, Cosmo enroule la cape magique autour de son cou. Aussitôt, le dodo est convaincu d'être un superhéros.

Quel est son pouvoir? Curieux, Cosmo explore toutes les possibilités. Le dodo s'imagine d'abord courir à toute vitesse.

-Je suis SuperCosmo, le plus rapide!

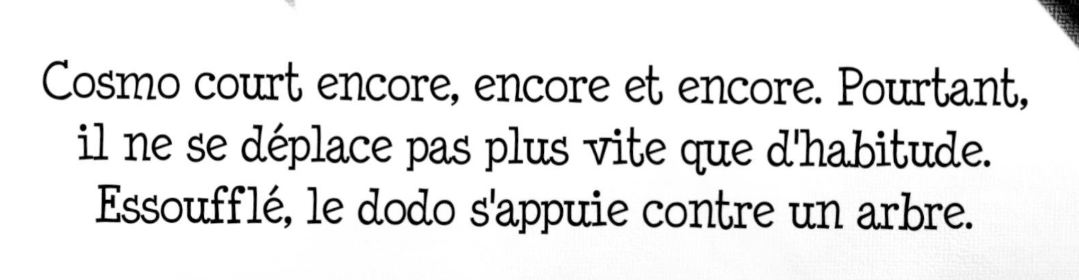

Cosmo court encore, encore et encore. Pourtant, il ne se déplace pas plus vite que d'habitude. Essoufflé, le dodo s'appuie contre un arbre.

– C'est... ra... té! halète Cosmo. Je ne suis pas plus rapide qu'avant.

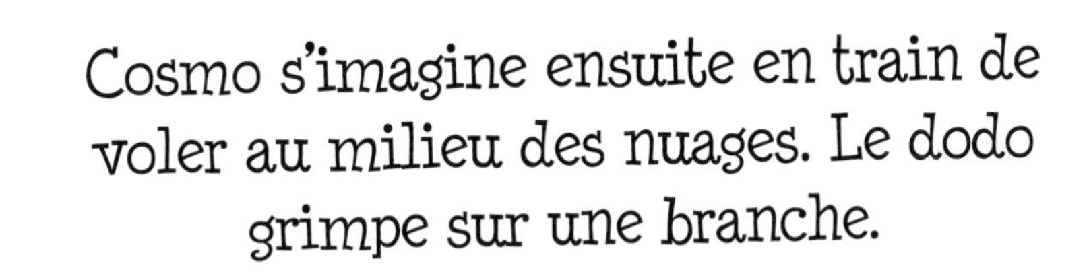

Cosmo s'imagine ensuite en train de voler au milieu des nuages. Le dodo grimpe sur une branche.

Confiant, Cosmo tend ses ailes, puis s'élance.

-Je suis SuperCosmo, le dodo qui vole!

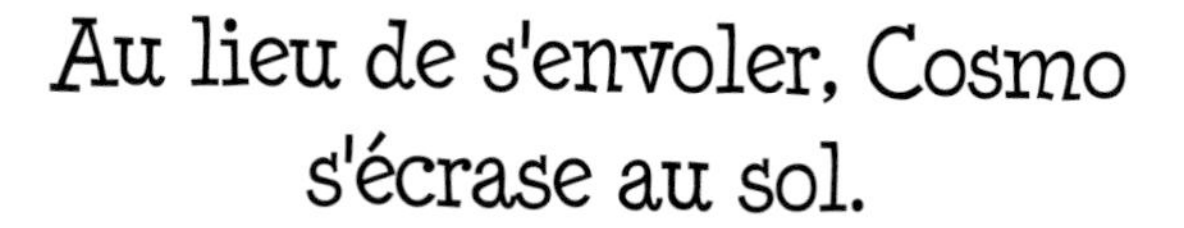

Au lieu de s'envoler, Cosmo
s'écrase au sol.

Bang!

– **C'est raté!** admet le dodo d'une
voix étouffée. Je ne peux pas voler.

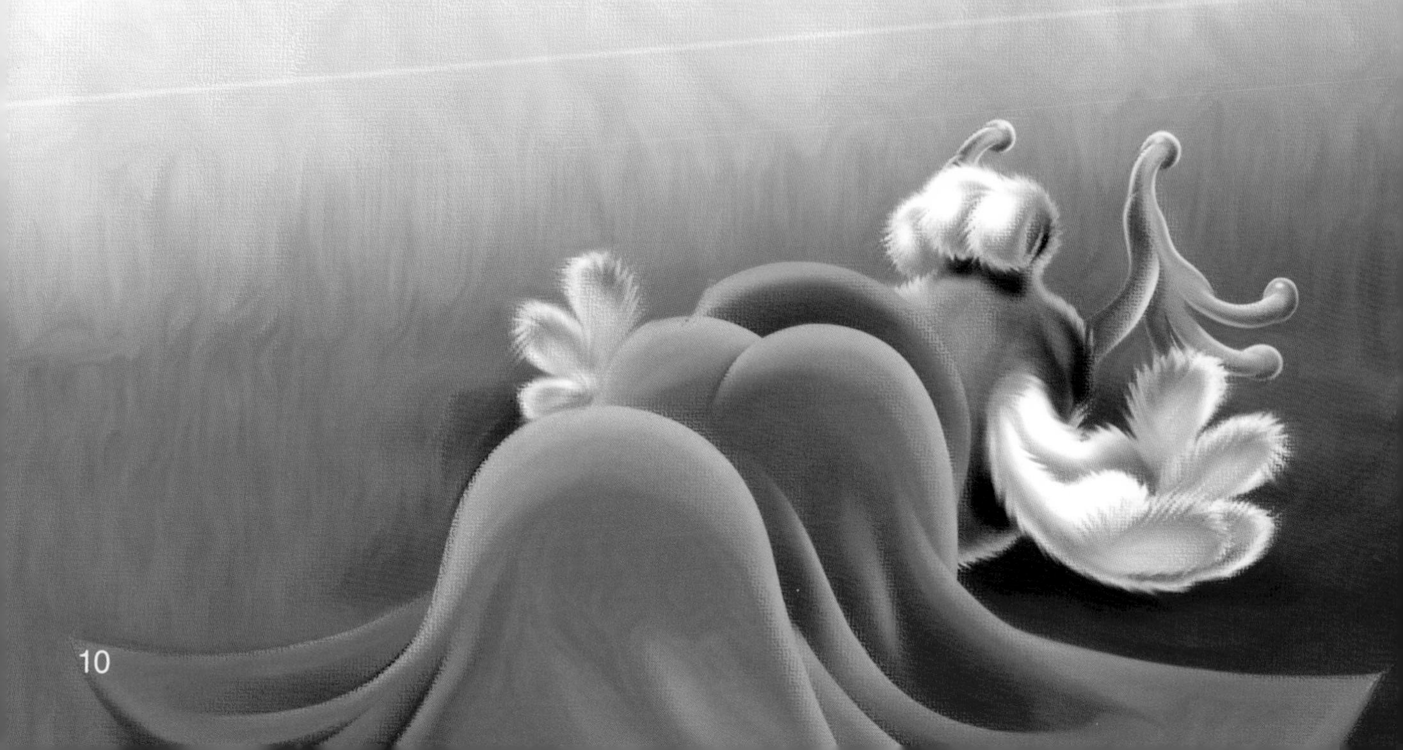

Par la suite, Cosmo s'imagine posséder une force extraordinaire. Il tente de soulever une énorme roche.

-Je suis SuperCosmo, le plus fort!

Cette roche est trop lourde pour Cosmo. Le dodo parvient seulement à soulever un caillou.

– **C'est raté!** pleurniche Cosmo. Je ne suis pas fort. Cette cape ne me procure aucun pouvoir. Je ne suis pas un superhéros! grogne-t-il.

Tout à coup, le dodo entend un cri de détresse au loin.

C'est Cajou! Son ami est tombé dans la rivière. Le courant l'emporte rapidement vers une gigantesque chute.

À l'aide!

À l'aide!

répète Cajou, en panique.

– Oh non! Comment vais-je sauver mon ami sans pouvoir? s'inquiète le dodo, affolé.

Cosmo n'a pas le temps d'hésiter davantage. Cajou approche dangereusement de la chute. Le dodo court au secours de son ami.

Au risque de tomber, Cosmo grimpe
sur un tronc d'arbre suspendu
au-dessus de la rivière.

–Attrape mon aile!
crie Cosmo.

L'écureuil saisit de justesse l'aile tendue
de son ami. Utilisant toutes ses forces,
Cosmo tire Cajou hors de la rivière.

Cajou est sain et sauf. Ému, l'écureuil remercie son ami.

– Cosmo, tu es mon **superhéros!** s'exclame Cajou, avec admiration.

Fin!

Questions

1. Quels sont les trois pouvoirs testés par Cosmo?

2. Nomme ton héros préféré.

3. Aimerais-tu avoir un pouvoir? Si oui, lequel?